Espions en mission

Maria S. Barbo

Illustrations de Duendes del Sur

Texte français de France Gladu

Je peux lire! – Niveau 1

ISBN 0-439-95364-2
Titre original : Spy Hunt

Conception graphique : Louise Bova

Édition publiée par les Éditions Scholastic, 175 Hillmount Road, Markham (Ontario) L6C 1Z7

5 4 3 2 1 Imprimé au Canada 05 06 07 08

C'est une fin de semaine de trois jours.

 et ont beaucoup regardé

la .

Ils ont joué avec trop de  .

Ils ont lu tous leurs  .

Ils ont mangé tous leurs  .

À présent,  s'ennuie.

 s'ennuie aussi.

SCOOBY
SCOOBY SNAX

Puis,  a une idée.

— Jouons aux espions! dit .

 se coiffe d'un  rigolo.

 met une drôle de .

— Comme ça, personne ne nous reconnaîtra, , dit .

 aboie.

 adore jouer aux espions.

 et  espionnent  .

 écoute avec ses super  de

chien.

 entend du bruit :

Swouch-wouch — swouch.

 se glisse jusqu'au  .

Mais il ne trouve pas  .

J'♥ LE VÉLO

 a disparu!

Tout est pêle-mêle sur son  .

Sa  est ouverte.

Ses ne sont plus là.

 sort son  .

 prend des  .

— Et si un  avait enlevé  ?

demande  .

— R'oh! oh! aboie  .

LE VELO!

— Sapristi! s’écrie .

 se cache sous le 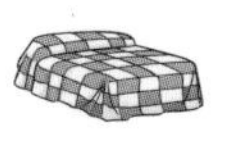.

 se cache près de .

Mais  et  doivent être braves.

Ce sont des super espions.

Ils retrouveront .

VIVE LE VÉLO!
Je suis allée me promener à vélo

 et  espionnent .

Ils se cachent derrière la .

 entend du bruit :

Flac-floc-floc-flic-floc.

 voit des .

 utilise son .

 est-elle avec  ?

Ou est-ce qu'un  a enlevé  ?

 et  espionnent  .

 entend du bruit :

Clic-clic-clac-clic.

 voit des  .

 prend des  .

 est-elle avec  ?

Ou est-ce qu'un  a enlevé  ?

 est-elle en train de manger

des  ?

 et regardent dans la cuisine.

Une bouteille d' a disparu.

Les  ne sont plus là.

Un  boit-il de l' ?

Un  mange-t-il des  ?

Est-ce qu'un a caché  ?

EAU
EAU

 et  sont de bons espions.

Mais ils ne trouvent pas  .

 n'est pas dans son 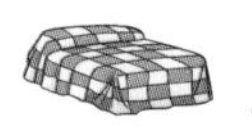 .

 n'est pas avec  .

 n'est pas avec  .

Et  n'est pas en train de manger

des  .

Peut-être qu'un  a *vraiment*

enlevé  .

CRÈME GLACÉE

 et  sont tristes.

 ôte son  .

 retire sa drôle de  .

 dépose son  .

 regarde les  .

Puis  a une idée.

— Sapristi! dit  .  n’a pas été enlevée par un  !

EAU
EAU

 entend un 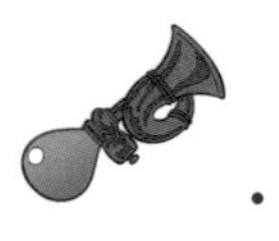 .

 voit des  .

 n'a pas été enlevée par un  .

 était partie à  !

 donne des 

à  .

 aboie.

— Scooby-dooby-doo!

As-tu bien vu toutes les images du rébus dans cette énigme de Scooby-Doo?

Chaque image figure sur une carte-éclair. Demande à un grand de découper les cartes-éclair pour toi. Essaie ensuite de lire les mots inscrits au verso des cartes. Les images te serviront d'indices.

Avec Scooby-Doo, la lecture, c'est amusant!

SCOOBY
SNAX

Sammy

Scooby

Véra

Daphné

Scooby Snax

Fred

MACHINE
À MYSTÈRES

VIVE LE VÉLO!
LE VÉLO
ACCESSOIRES
GUIDE
DU VÉLO

appareil photo

Machine à mystères

livres

télévision

vampire

jouets

EAU

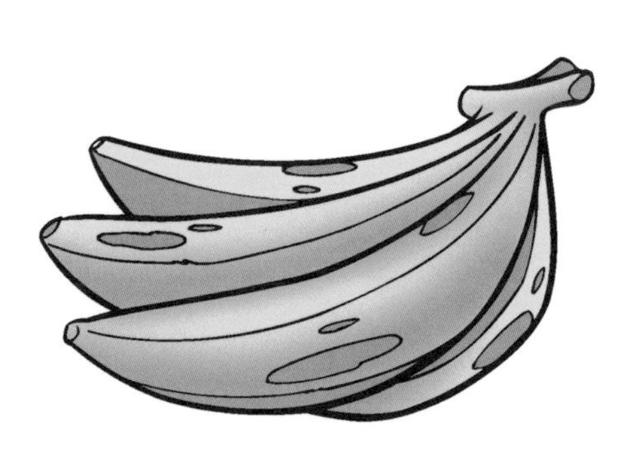

vélo

photos

bananes

eau

roues

klaxon

fenêtre	chaussures de sport
chapeau	perruque
lit	oreilles